わたしは信仰
わたしは希望
わたしは愛

インマヌエル・
共におられる神
田中次生

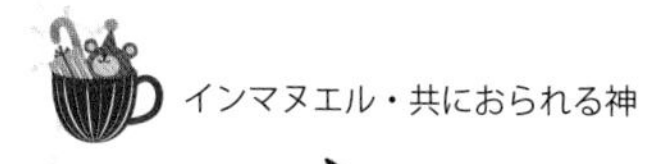

主の天使が遣わされ、キリストの誕生を告げ知らせます。「『見よ。おとめが身ごもって男の子を産む。その名はインマヌエルと呼ばれる。』この名は、『神は我々と共におられる』という意味である」（マタイ1・23）天使は生まれて来る男の子キリストを「インマヌエル・神はわれらと共にいる」と紹介します。

キリストの誕生は、神が「我々と共に」おられることを望まれたことの証しだと聖書は伝えています。

★★★

この聖書の言葉を読むとき、私はいつもある若い看護師さんの記事を思い出します。看護師になりたての彼女が毎日が試行錯誤の連続で、もう限界と感じていたときでした。宿直当番の夜、その日開腹手術をしたばかりの患者さんからベルで呼び出されました。

「深夜・難手術の患者」とイヤな予感を抱きながら病室にかけつけました。案の上、麻酔の切れた患者さんが苦痛で顔をゆがませていました。とりあえず冷たい水でタオルをしぼって汗をぬぐい、患者さんの苦しみに心底寄り添いながら「痛いんでしょうね」と言って手を取り、さすり続けました。苦しみを共に担ってあげたいという気持ちが通じたのかどうか、ものの五分とたたないうちに、その患者さんは安らかな寝息をたて始めたのです。

古今東西の文学者たちは、愛の定義を模索してきました。聖書では簡単明瞭に言います。神は愛であり、その愛である神は「インマヌエル・共におられる神」なのです。

★★★

岡山県に「国立療養所長島愛生園」というハンセン病専門の療養所があります。一九三〇年、瀬戸内海にある長島の島内に日本初の国立療養所として建てられました。長島と本土を隔てる海はわずか三十メートルですが、離島という環境が隔離に適しているとされたのです。その海に、さまざまな問題を乗り越えて約十七年間の島を挙げての運動が実り、邑久(おく)長島大橋が開通し本土と陸続きになったとき、患者さんたちは泪を

流したのでした。まさに人間として共に生きることが認められた「人間回復の橋」だったからです。

★★★

さて、クリスマスが愛の祝日と言われるのは、御子キリストをとおして「共にいること」、「御子を架け橋」として神が望まれたことを記念する祝日だからです。赤ちゃんとして誰からも愛される姿をとってこの世にこられ、私たち人間と苦楽を共にされようとした神の子キリストの誕生をお祝いする祝日だからです。

ヨーロッパの雪国などでは、クリスマスになると、その年にケンカした相手の家の雪かきを、夜中にそっとしたりする習慣があるそうです。クリスマスのミサに与るとき、心の中に憎しみやうらみなどがないように、場合によってはクリスマスカードを送って、自分の非をわびたりもするそうです。

日本の習慣では、私たちも除夜の鐘を聞きながら一年を反省するわけですが、この年末にあたって、私たちの心の「架け橋」についても反省したいものです。心の架け橋がキチンと修理されれば、新たな年は「神の恵みの年・希望の年」になるでしょう。

希望のクリスマス

私たちは神の似姿としてつくられました。
神の似姿としてこの世に生き、
神との親密な関係をもっていたはずの人間は、
いつの間にか自分勝手な意思に従い、
生活から神を排除していきました。
失われた神との関係を修復するために、
今年もまたクリスマスが
やってきます。

亜麻布にくるまれたイエスが最初に寝かされたベッドは藁の敷かれた飼い葉桶でした。当時は多くの人が、預言者に告げられていた救い主イエス・キリストの誕生を待っていました。しかし実際、神の降誕がこれほどつつましい形になるなんて誰が予想できたでしょうか。どこでも好きな場所を選ぶことができたはずの神が、地上で一番貧しいところでお生まれになりました。そのために、イエスが神の子であると思えない人々がたくさんいたのです。

イエスは生まれたときから、貧しい人や苦しんでいる人とともにいました。

クリスマス豆知識

英語のChristmasの語源はラテン語の「クリストゥス・ミサ」。「救世主キリスト（Christ）のミサ聖餐式（mass）」キリスト降誕を祝うミサのこと。

闇（この世）の中にあって小さく輝く幼子イエスは、私たちの行く先を指し示す希望の星です。そして私たちはイエス・キリストが小さな星ではなく、光の中の光、希望の太陽であることを知っています。

希望とは、未来の善に対する期待であり、それに向かう衝動、原動力のこと。試練のうちにあっても、希望は喜びをもたらします。人は、希望があるから待つことができる、そして待って

クリスマス豆知識

キリストの誕生が 12 月 25 日に定められたのは、4 世紀半ば、コンスタンティヌス帝統治下のローマ。12 月に冬至を迎えるローマでは、冬至を経て太陽の光が蘇るということで、12 月 25 日は太陽神の祭日だった。そこで、「キリストは正義の太陽」と考えるキリスト教徒たちがこの日をキリストの降誕祭として祝うようになった。ちなみに、キリストの誕生日が 12 月 25 日と確定できる記述は聖書にはない。

いるときには、心の中に希望が宿っているのです。

私たちが生きる世界は、今、大変な状況にあります。クリスマスに平和の挨拶を交わしても、世界中の争いと混乱は絶えません。一人ひとりを取り巻く社会を見ても、いじめや差別、孤立や貧困、感染症など、困難はあとを絶ちません。

私たちが乱した世の中を修復させるために、神ご自身が人の子となって私たちのうちにやって来ました。その出来事を記念するとき、それを足掛かりにしてまた一歩ずつ前進していく力をいただくとき、希望を新たにするとき、それがクリスマスなのです。

クリスマス豆知識

イエスがベツレヘムで誕生されたとき、星の光に導かれ、「占星術の学者たちが東の方から」（マタイ2・1）やってきた。聖書には人数も名前も明記されていないが彼らが三つの贈りものを献げたことから「三人」、「タルシシュや島々の王が献げ物をシェバやセバの王が貢ぎ物を納めますように」（詩編72・10）という旧約の預言から「賢王」「博士」といわれ、842年ごろラヴェンナの修道院長アグネルスによって書かれた歴史書からメルキオル、バルタザル、カスパルという名前が伝わるようになった。

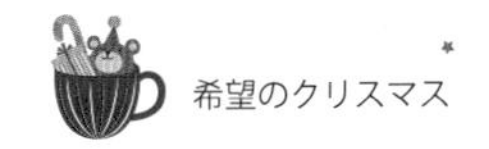

希望の源である神が、信仰によって得られるあらゆる喜びと平和とであなたがたを満たし、聖霊の力によって希望に満ちあふれさせてくださるように。
（ローマの信徒への手紙15・13）

クリスマス豆知識

クリスマスプレゼントの始まりといわれる三博士の贈りものは……

乳香　乳香樹から採られる白色の樹脂。香水や薬品として用いられた。神性の象徴。

没薬　香りのよさから珍重された非常に高価な樹脂。古来死者の防腐処理に使用されたことから、将来の受難と復活の象徴。

黄金　太陽に結びつき、神の現存、その輝きを示す装飾として契約の櫃などの祭具に用いられ、メシアを象徴する金属。王権の象徴。

恐れるな。
わたしは、民全体に与えられる大きな喜びを告げる。
今日ダビデの町で、
あなたがたのために救い主がお生まれになった。
この方こそ主メシアである。
あなたがたは、布にくるまって飼い葉桶の中に寝ている
乳飲み子を見つけるであろう。
これがあなたがたへのしるしである。
（ルカ2・10〜12）

♪真説！「聖夜」

国本静三

今、世界で最もよく知られているキャロルは「聖夜」でしょう。この聖歌を知らない人はいないと思います。

この歌の成立由来もまた、よく知られていますね。ところが……。

本日は皆さんに、とっておきの真説をお話しいたしましょう。

「聖夜」誕生記念聖堂

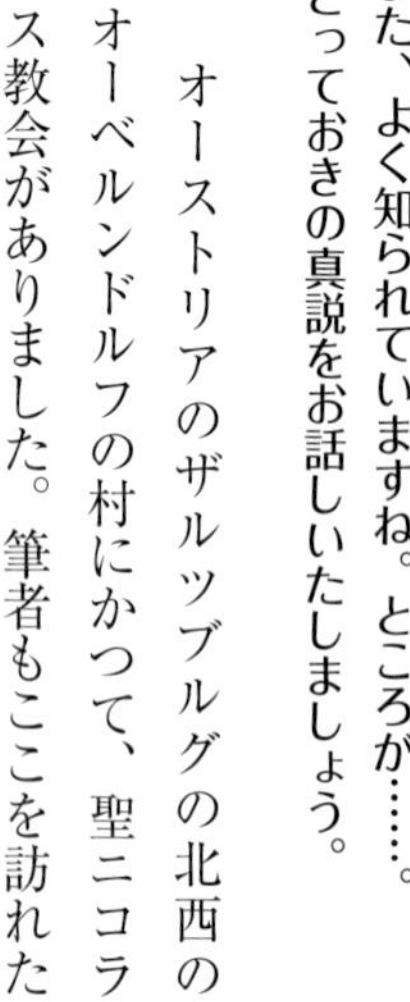

オーストリアのザルツブルグの北西のオーベルンドルフの村にかつて、聖ニコラス教会がありました。筆者もここを訪れたことがありますが、今は洪水で流されたため、小さな「聖夜」誕生の記念聖堂があるのみ。聖堂裏側に〝く〟の字型に曲がったザルツァッハ川が流れ、この川が国境です。向こう岸がドイツ、こちらがオーストリア

記念聖堂裏のザルツァッハ川

と手に取るように隣国が見えています。

さて、一八一八年のクリスマス・イヴのこと、聖ニコラス教会のオルガンが故障してしまいました。困り果てた助任司祭モーア神父（一七九二～一八四八）は急ぎ詩を書き、オルガン奏者グルーバー（一七八七～一八六三）にギター伴奏で歌える曲を作ってもらいました。イヴのミサで歌われた「聖夜」は、牧歌的な旋律に乗ったドイツ語の歌詞が救い主の誕生の情景を素朴に表現し、大きな感動を引き起こしました……。これが、伝えられてきた由来で、筆者もずっとそのように信じていました。

ところが、一九九五年に作詞者モーア神父の手記が発見され、事実がより明らかになったのです。モーア神父はこの詩をグルーバーが作曲する二~四年前に作っていました。そして一八一八年に、教師・オルガン奏者・合唱指導のグルーバーに作曲を依頼しました。曲はギター伴奏にも編曲され、夜中のミサにおいてモーアのギターの伴奏とグルーバー自身の歌で演奏されたということです。オリジナル譜は残っていませんが、一八二〇年に記した楽譜が現存しています。どうやらオルガンの故障の話は事実ではなく、やや伝説化されていたようですね。

グルーバー

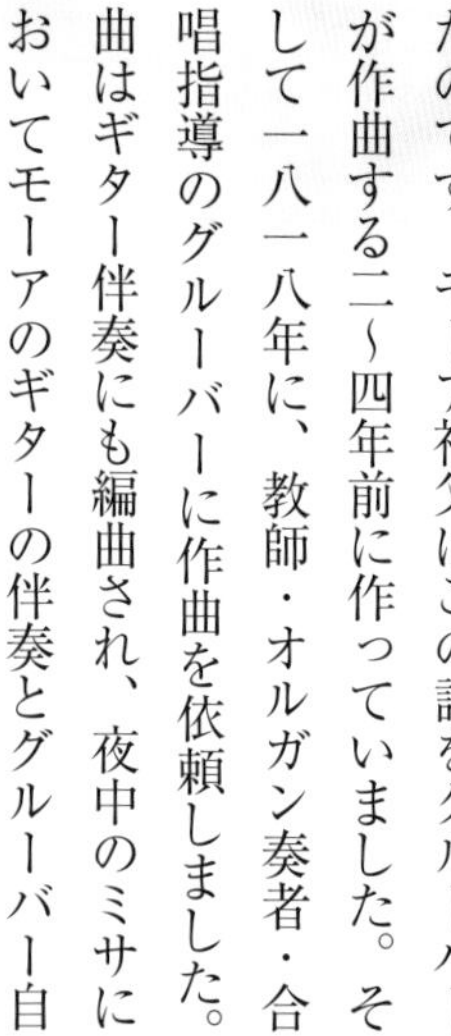

1820年に記された楽譜

では、なぜこの曲が世界中に伝わっていったのでしょう？ クリスマスから数週間後、オルガン技師マウラッヒャーが聖ニコラス教会に来て、この曲の楽譜を入手し、オルガン調律のため多くの教会を巡回するうちにこの曲を広めていきました。そのうち、あちこちの都市で商いをする革製品商シュトラッセ家の人がこの曲に注目し、一八三二年、ライプツィヒでの革製品売り出しで、この「聖夜」をアトラクションとして歌います。するとたいへんな評判を呼び、この聖歌はオーストリアからドイツ各地へと広まっていきました。さらに、当時盛んだった新大陸移民、つまり米国へ渡るドイツ系移民とともに、アメリカ大陸にこの聖歌が伝えられていったのです。やがて、最初の英語訳によるこの曲がメソジストの讃美歌集（一八四九年版）に収められ、その後も英国国教会の牧師ヤング（在米一八四五〜五五）の英語訳が広まっていきました。今も一節と三節は、ヤングの訳詞で歌われています。日本にも明治（一八六七年）以後、キリスト教再伝来とともにもたらされたようです。

「聖夜」は興味深いことにすべての教派で歌われ、愛されています。イエスの受肉の神秘を簡明な詩と美しい旋律で表現している……これが、広く世界で愛されるいちばんの理由でしょう。

さあ、皆さん、よい降誕祭と新年をお迎えくださいね！

Merry
Christmas

クリスマスに、映画観ようよ！　中村恵里香

いのちの尊さを考える『ジャック・フロスト パパは雪だるま』

ミュージシャンのジャック・フロスト（マイケル・キートン）はライブ会場に来ていたプロデューサーの目に留まり、メジャーデビュー目前。クリスマスを前に録音に追われ、息子のチャーリー（ジョセフ・クロス）が出場するアイスホッケーの試合を観に行くこともできません。妻にとがめられたジャックは、吹けばいつでも現れると約束して古いハーモニカをチャーリーにプレゼント、クリスマスには山の家で過ごそうと提案します。

ところが出発を前に、クリスマスイブにレコード会社の社長と会うように言われてしまいます。チャンスを逃したくないジャックはバカンスをやめ、レコード会社に向かいます。しかしその道中、「やはりクリスマスは、家族と過ごさないといけない」と気づいたジャックは、急ぎ家に帰ろうと車を運転し、事故に遭って亡くなってしまいます。

一年後の冬、父を失って沈みがちなチャーリーは、庭に雪だるまをつくり、父親からもらった最後のプレゼントのハーモニカを吹いてみます。すると雪だるまにいのちが吹き込ま

監督：トロイ・ミラー／2011年／アメリカ／101分

れて、父親が雪だるまとして生き返ってきたのです。

最初は驚き、慌てるチャーリーですが、いじめっ子を撃退するためスノーボードに乗ったり、ホッケーの練習をしたり、これまでできなかった親子の時間を過ごしていきます。クリスマスを迎え、町の雪が溶けはじめました。雪がなくなってしまうと雪だるまも溶けてしまいます。二度と父親と別れたくないチャーリーはどうするのか……。

ここまでお話して何が生命の尊さなのかと思う方もいらっしゃるかもしれませんが、チャーリーが父親との思い出をたくさんつくることで生きることに対する気力と勇気を吹き返す姿はとても尊く美しいものです。そして、愛する人が亡くなっても、姿が見えないだけで常に自分の胸の内にいるということを教えてくれます。実はこの映画、日本では未公開で、DVDのみで観られます。子ども向けとされていますが、大人が観ても楽しめる映画です。ご家族でご覧になってはいかがでしょう。

毎日がクリスマス！

文・写真／若月伸一

イタリアのナポリは天然の美港に恵まれた地中海でも屈指の港湾都市。その歴史も古く、起源は紀元前八世紀のギリシアの植民地に遡る。ナポリの旧市街には狭い曲がりくねった道、袋小路など植民地時代の面影が今も色濃く残っている。

その旧市街のメインストリートから少し北へ延びる道が、毎日がクリスマスともいえるサン・グレゴリオ・アルメーノ通り、通称プレゼピオ通りだ。

八世紀東ローマ帝国で聖像破壊運動（イコノクラ

スム）が起こり、その際、聖グレゴリオの聖遺物とともにギリシア北西のアルメニアから逃げ延びた修道女たちがナポリの地にサン・グレゴリオ・アルメーノ教会を建てた。そこで、この小さな路地もサン・グレゴリオ・アルメーノ通りと呼ばれるようになったという。この地域には教会も多く、昔から蝋燭の工房があって、十八世紀末ごろからは蝋やテラコッタでプレゼピオの人形を作る工房が集まるようになったという。プレゼピオは、福音書に記されたイエスの誕生の馬小屋（ルカ2・1〜7参照）をかたどるイタリアのクリスマスには欠かせない伝統的なクリスマスの飾り。サン・グレゴリオ・アルメーノ通りはプレゼピオ工房の店が一年をとおして軒を連ね、観光客をはじめ常時たくさんの人が行き交っている。

ナポリのプレゼピオは年々変化していくそうで、伝統的な降誕の場面に、毎年、市井の生活場面や脇役となる人物を買い足して、オリジナルのプレゼピオを作るとか。店内には大小の馬小屋や洞窟、イエス、マリア、ヨセフ、羊飼いや牛、ロバなどとともに、農家の人たち、漁師、洗濯をするおかみさん、ナポリらしくピッツア職人や漁師、さらに有名サッカー選手や政治家、アーティストなどの人形も並び、日本の変わり雛的な要素が見え隠れするのもまた一興。

毎日がクリスマスのこの通りが最も活気づくのは、やはり十二月から一月六日のご公現の日までで、世界中から集まる人々で賑わいをみせている。機会があればこの通りを訪れて、オリジナルのプレゼピオを作ってみてはいかが⁉

＊疫病が流行ったときに薬代わりに食べられた赤い唐辛子は魔除けとして、一緒に売られていた。

シニョーラ Maya の

お家で楽しく クリスマス

ブロッコリーのオレッキエッテ (Orecchiette)

by 中川摩夜

オレッキエッテはプーリア州の代表的な ショートパスタ。
イタリア語で 「小さな耳」 という意味。
オレッキエッテが手に入らなくても、マカロニや
ペンネなど、ショートパスタで手軽にできる
お料理です。冷めてもおいしくいただける、
パーティー料理にはもってこいの一皿 !!

《材料（4人分）》

オレッキエッテ 500g　塩大さじ 2　ブロッコリー大 1 個
にんにくみじん切り 2 片分　アンチョビ小さじ 1
鷹の爪 1 本　オリーブ油 100cc　ブイヨン 200cc

《作り方》

①ブロッコリーの軸の皮をむき 1cm くらいの
輪切りにする。花の部分は小分けにしておく。

②大き目の鍋に湯を沸かす。沸騰したら分量の塩を加え、
ブロッコリーを加えて柔らかくなるまで茹でる。

③ブロッコリーが木杓子で潰れるくらいになったら鍋にオレッキエッテを
加え、茹でている間に茹で汁 200cc を小分けにし、顆粒ブイヨンを溶
かしておく。

④オレッキエッテの茹で時間きっかりで、すべてをざるにあける。

⑤深めのフライパン、または底の厚い鍋に分量のオリーブ油、鷹の爪、
アンチョビ、にんにくみじん切りを入れて火にかけ、アンチョビがパチ
パチいってきたら茹でたブロッコリーとオレッキエッテを加え、炒める。

⑥ブイヨンを加え強火にし、水分を飛ばしながらさらに炒めて全体に味
がしみたらできあがり。

イラスト／澤村信哉

Aくんとお兄ちゃんは毎日ケンカばかり。

そこでお母さんが言いました。

お母さん「サンタさんはね、ケンカばかりしている悪い子のところにはプレゼントはもってこないそうよ」

Aくん　「大変だ、お兄ちゃんは今年のクリスマスのプレゼントがもらえないよ！」

《執筆者》

金子賢之介 かねこ・けんのすけ　サレジオ会司祭。出版活動、学校や小教区の司牧に携わり、1991～97年「カトリック生活」編集長を務める。

田中次生 たなか・つぎお　サレジオ会司祭。大阪星光学院中・高等学校、育英高専（現サレジオ高専）校長などを歴任。

国本静三 くにもと・せいぞう　京都教区司祭。エリザベト音楽大学、東京音楽大学で作曲を学ぶ。管弦楽曲“Garden of KYOTO”、オルガン曲“The Sound of Peace”等作曲。

中村恵里香 なかむら・えりか　出版社勤務を経てライターとして活動。SIGNIS JAPAN、SIGNIS GOODNEWS NETWORK会員。WEBマガジンAMOR編集部。

中川摩夜 なかがわ・まや　2000～02年にかけて南イタリアのホテルレストランに短期留学。プーリア州サレント料理紹介許可を取得。VIDES JAPAN前事務局長。

若月伸一 わかつき・しんいち　パリ大学で美術史、グレゴリオ大学でキリスト教美術史、初期キリスト教考古学などを学ぶ。ヨーロッパの美術、文化の取材活動を展開。

《図版》
表紙　ムリーリョ《聖母子》
P 4　ルドヴィコ・カラッチ《受胎告知》
P 16-17　ヤン・ステーン《羊飼いたちの祈り》
P 23　ラファエロ・サンティ《聖家族》

デザイン† TM HOUSE

希望（きぼう）の光（ひかり）クリスマス

2021年9月1日初版発行
発行者　関谷義樹
発行所　ドン・ボスコ社
〒160-0004　東京都新宿区四谷1-9-7
TEL 03-3351-7041　FAX 03-3351-5430
印刷所　株式会社平文社

（落丁・乱丁はおとりかえいたします）

ISBN978-4-88626-684-2 C0116

ISBN978-4-88626-684-2 C0116 ￥150E
定価（本体150円＋税）